아직 피지 않은 시 한 송이

아직 피지 않은 시 한 송이

발　행 | 2023년 12월 07일
저　자 | 류승우, 홍찬희
펴낸이 | 한건희
펴낸곳 | 주식회사 부크크
출판사등록 | 2014.07.15.(제2014-16호)
주　소 | 서울특별시 금천구 가산디지털1로 119 SK트윈타워 A
동 305호
전　화 | 1670-8316
이메일 | info@bookk.co.kr

ISBN | 979-11-410-5808-1

www.bookk.co.kr

시 한 송이

홍 류 지음

CONTENT

고등학교 생활을 추억하며

아직 한 명의 고등학생으로서 솔직히 말하자면 어른이
된다는 것에 일종의 환상을 가지고 있습니다.

여기서 1,2년 더 나이를 먹는다고 해서 외관이 눈에 띄게 변
한다든가 사고가 점잖아 지거나 혹은 대학생이 되어서
전공지식을 꿰 차고 있을 것 같지는 않습니다.

그렇다고 머리로는 생각하고 있지만
그래도 마음속 어딘가에는 그 짧은 기간 동안 생길지도 모르
는 삶의 방식의 변화에 대한 막연한 동경이나
새로운 인연에 대한 기대감
그리고 어른이 되어버리면 지금의 나와는 다른 사람이 되어
버리진 않을까 하는 약간의 두려움이
지금도 상상의 나래를 마구 펼치고 있습니다.

그중에서 제게 가장 신경 쓰이는 것은 두려움인데,
제가 어른이 된 후엔 지금의 내가 3년도 채 안 된 중학교 시절의 나를 완전히 이해하지 못하고 지금의 나와는 사뭇 다르게 느끼고 있는 것처럼 나도 잊히고, 색이 바래는 것은 아닐까 하는 노파심에 지금의 내가 했던 생각이나 내가 겪었던 소소한 일상을 글로 남겨 나를 기록하게 만들었습니다.

여백이 있기에 써보는 말입니다만 제목을 그렇게 정한 이유는 시라는 것은 사람마다 해석이 다른 것이기에 저의 일상, 생각을 담은 시가 사람마다 전부 다르게 나타날 것이라 생각했고, 꽃이 피는 것과 유사하다 느꼈습니다.
그리고 무엇보다도 방금 전까지 당신은 이 책을 펴지 않았잖아요?

다른 사람들이 하루에 얼마나 많은 생각을 하는지 모르지만 저는 긍정적인 의미가 아닌 단순히 생각이 많은 사람인 것 같습니다. 어릴 때부터 걱정해도 되지 않을 것을 걱정하고, 생각했던 것 같습니다. 굉장히 어릴 때부터 많은 생각 때문에 스트레스를 받아왔는데 제가 결국 찾은 해답은 다른 집중할 수 있는 일을 하거나 자는 것 두 가지가 있는 것 같습니다. 그리고 독서나 문학작품을 쓰는 것이 집중할 수 있는 좋은 방법이라고 생각합니다. 또 저처럼 글 쓰는 실력이 뛰어나지 않아도 일기처럼 하루나 평소 생각들을 정리하여 글을 쓰는 것으로 하루나 일주일, 한 달을 마무리 하는 것도 좋은 방법이라고도 생각합니다.

이 책에서 제가 쓴 시들은 언제인지는 모르지만 어릴 때 쓴 시들과 지금 쓴 시들을 모아놨습니다. 항상 행복하시고 재밌게 읽어주시길 바랍니다!!

제 1 류

시 쓰기가 무섭다

내가 시를 쓰려 할 때마다

북어 대가리가 말을 건다

표현이 유치하다고

멋들어진 시구를 생각해내면

오글거려 못 읽겠다고

머리 속으로 상상하면

시인은 돈을 못 번다고

지금 또 북어 대가리가 뻐끔거린다

그러나 이번엔

북어 대가리를 마주보고

펜을 들어 한 줄 끄적거려본다

밤하늘

가만히 서서 어슴푸레한 밤하늘을 본다

구름이 짙게 드리웠는지 꿈틀거리는 밤하늘

그 가운데 허세를 부리는 인공위성과

저 구석 반쯤 찌그러진

달만 허위적인 빛을 뽐낸다

한때 사람들에게 이야기하며 재잘거리던,

온전히 제 힘만으로 찬란히 빛나던,

그 많던 별들은 어딜 갔는지 보이지 않는다

멀어진 별들이 너무도 그리워

주저앉아 한없이 밤하늘 한 켠을 바라본다

어느샌가 별이 고개를 내밀고

소곤소곤 말을 걸어온다

나는 다시 가버릴까 무서워

조심히 두 귀를 기울일 뿐이다

귤

한 꼬마가 귤껍질을 깐다

귤껍질은 아이들의 스케치북

아이가 계속 귤로 그림을 그린다

주황빛 그림이 한가득

아이는 만족한듯

귤 알맹이를 먹는다

곧 엄마가 나와 함께 귤을 먹는다

또 아빠가 나와 함께 귤을 먹는다

이제 다같이 모여 앉아

웃으며 함께 귤을 먹는다

`

귤도 함박웃음을 머금고

다시 주황빛 알맹이를 맺는다

파란 하늘

하늘이 파랗다

깊은 숲속 외로운 연못처럼

하늘이 파랗다

내 드높았던 옛 꿈처럼

하늘이 파랗다

지금 날아가는

저기 저 새 힘찬 날갯짓처럼

아, 하늘은 푸르구나

잿빛 먹구름을 저편으로 밀어내고

새하얀 뭉게구름은 훌훌 풀어내어

하늘은 이렇게나 푸르구나

나도 하늘처럼 푸르고파

내 두 눈을 한없이

파랗게 물들이고만 있는다

커피 한 잔

조용한 밤이다

희뿌연 밤하늘, 어둑어둑한 밤

내 방 조그만 필라멘트만

희미한 구릿빛을 내고 있다

밤이 그리 늦었건만

홀로 고뇌하는 나

그리고 커피 한 잔

작고 나긋한 방에 풍기는

쌉쌀한 냄새가 나를 포근히 안는다

하지만 그 포근한 향내는

나를 더 오래도록 괴롭게 한다

사탕바구니

대전 중구 한 아담한 아파트의

다섯가족이 사는 한 집, 한 조그마한 방에는

높이도 안 맞는 책상이 한 쌍,

그리고 칠판 하나 딸랑 있는

조촐한 수학학원이 있다

아직도 가루 날리는 하얀 분필을 쓰는

이 작은 방, 낮은 책장 한 칸에는

홍삼 캔디, 민트 사탕, 커피사탕, 알사탕이

오밀조밀 한 곳에 모여

누군가 집어가기만을 애타게 기다리는

가족 같은 사탕 바구니가 있다

오늘도 변함없이 한데 모여

한없이 기다리기만 할 뿐

다채로운 색으로 은은한 사탕 바구니

설탕 단내가 화려하지만

왠지 모를 쓸쓸함이 서려있는 사탕바구니.

오직 나만이 손을 뻗어

작은 아파트, 작은 집, 작은 방 수학학원의

달콤쌉싸름한 맛을 느낀다.

소주 한 잔

왠지 모르게 몸이 무거운 듯해

하늘보단 땅을 향하게 되는

그런 날에는 소주를 한 병 깐다.

맥주보단 센 알코올 향이 달큰하고

한 잔으로도 뱃속이 후끈하니

모든 것이 흐릿해져 무너지기에

오늘도 잔을 채웁니다

하지만 마냥 따뜻하기만 한 그 목 넘김에도

어딘가 씁쓸한 맛이 있습니다.

무제1

만약 다시 태어난다면

도토리를 잔뜩 묻어 놓고는

금새 까먹어버리는

어리석은 다람쥐는 되지 말자

그렇다고

다람쥐의 도토리를 파먹는

혼자 배부른 청솔모는 되지 말자

그냥 다람쥐가 묻은 도토리가

다시 나무가 되어

모두를 배불릴 수 있도록

한 방울 이슬이 되어 맺히자

나무의 눈

나무로 된 것들을 바라보다 보면

나뭇결에서 나무의 눈을 느낄 수 있다

눈물을 글썽이는 듯 울렁이고

초점을 잃은 듯 흔들리는

눈들을

 많은 곳에서 눈들을 느끼지만

고개를 내리깔고

장판 위를 걷다가

그 원망하는 듯한 눈을 마주치면

그 눈빛에

한동안은 눈을 뗄레야

눈을 뗄 수가 없게 된다

모르겠어요

아무래도 지금 내 머리속에는

새하얀 뭉게구름이 떠있나 봐요

시간이 흘러

이 구름이 색이 바래면

소나기가 내릴지도

아직은 잘 모르지만

지금은 그냥

이 구름 타고 저 멀리

멀리 흘러가고 싶어요

무제 2

시뻘건 태양,

형형색색 얼룩진 하늘,

태양을 따라 빨려 들어가는 구름들

아무렴 일출도 장관이지만은

해만 돋보이는 일출보다는

해가 물들이는 일몰이

나는 더 멋있다

무제 3

아마도

이 황량한 교실에 가장 슬픈 것은

벽에 내걸린 저 시계일 것입니다

시계는 항상 말하고 있지만은

그 가녀린 태엽소리,

그 째깍거림은

늦은 오후가 되어서야,

텅 빈 교실을

공허이 울리기 때문입니다

어린 새싹에게

꽃샘추위,

너에겐 무거운 그 눈을

내 체온으로 녹여

따스한 봄비를 흘리겠어

언젠가

한겨울,

휘날릴 그 눈보라는

가지로 막아

기둥에 가만히 등을 기대게 해주오

무제 4

오래된 물건에 먼지가 쌓이는 것은,

추억 깃든 낡은 장난감에서,

창고 속 네모난 라디오에서,

이젠 조용한 유선 전화기에서

은근한 잿빛이 묻어 나오는 것은

사람 손길의 활력을 잃은

녀석들에게서

그리움이 묻어나는 것은 아닐까

무제 5

시간이란 어찌 그리 무정한지

새벽녘 침대에 남은

사람의 잔 열이 채 식기도 전에

아침밥 계란후라이의

동그란 노른자가 다 익기도 전에

어지러운 도로의

신호등이 채 켜지기도 전에

이른 오후 가랑비에

땅이 촉촉히 젖기도 전에

한 단락 짧은 담소가

한껏 물오르기도 전에

저기 저 가는 해가

하루의 끝을 알리기도 전에

시간은 어찌 그리 고독한지

뒤도 안 돌아보고

혼자 어딜 그리 바삐 가는걸까

어째서 힘겹게 따라온 이들에게

고독한 아침을 안기는 걸까

바람

봄바람이 민들레를 날리듯이

네 소망이 마구 날아다니게 해 줘

높은 산 위에 올라가 버려도 좋아

호수 위에 둥둥 떠 있어도 좋아

결국에는 바람이 다시 널 이끌 테니

그러고 나면 한층 더 단단해진 씨앗이

흙 뚫고 바위 뚫어 단단한 뿌리를 내리는 거야

다시 네가 꽃 피우고

또다시 세상에 날리겠지

제 2 홍

졸업

어제의

많은 느낌표들

오늘의

많은 온점들을 뒤로하고

여태까지의 여정들에 마침표를 찍고

다른 새로운 마침표들을 찍기를

시작 해야 될 때

스승

그대가 노란 빛을 잃어가며

힘들게 키워 뿌린 홀씨가

여러 땅에 뿌리내려

이로움을 끼칩니다.

산불

서로 다른 나무의 나뭇잎들이 투닥투닥 부딪혀

큰 싸움이 일어났습니다.

큰 싸움은 물 흐르듯 다른 나무들에게도 번져

서로 사이에 붉은 울타리가 되었습니다.

이 붉은 울타리는 점점 더 커져

이제 형태를 알아볼 수 없게 되었습니다.

형태를 알아볼 수 없게 커진

붉은 이것이 없어지는 데에

큰 시간이 걸릴 것을

숲에 사는 모두는 알고 있습니다.

비

당신이 나에게 올 때

기분이 좋기도 하고,

싫기도 합니다.

당신이 나를 서럽게 울리기도 하고,

위로해주기도 합니다.

당신은 그대로지만

내 기분에 따라 대하는 것 같아

당신에게 미안해집니다.

단풍잎

푸른 창고에 박힌 붉은 잎들은

지상에 착륙하기 전 마지막 비상을 준비하였다.

저마다 얼굴을 붉히며 찬란한 빛깔을 뽐내었지만

차가워진 바람에 부쩍 소란스러워진

잎사귀들은

서로에게 속삭였다.

이제

다시

흙으로

뿌리로

줄기로 돌아갈 시간이야.

새싹으로 다시 만나,

푸른 바다의 붉은 산호처럼 물들 때까지

은행

노랑노랑한 잎들이

노랑노랑한 열매들을 달고

한껏 풍요로워졌다.

벼들이 수많은 황금이삭을 달고 고개를 숙이듯이

또랑또랑한 열매들이 한껏 늘어졌다.

꼬랑꼬랑 익어가는 노오란 향기

가을이면

노란 빛깔의 잔치가 한창이다.

히페리온

하늘 위로 올려다본 건물들 사이

굳게 솟아있는 히페리온

항상 높게 솟은 건물들만 보며

자란 히페리온은

그들과 어깨를 나란히 했을 때

표현할 수 없는 희열

그리고

용암처럼 뜨거운 무언가를 느꼈다.

건물들의 그림자에 가려져

자신에게 닿지 못했던

태양으로부터 오는 햇빛

엄청난 굉음에

그 날 히페리온은 쓰러졌다.

겨울

눈이 하얗게 내리는 차가운 그 계절

나뭇가지에는 귀여운 얼음 결정들이 쉬었다가고

꽁꽁

얼어붙은 호수 위엔

하얀 뱁새가 미끄러지듯 춤추며

얼음 위를 자유롭게 횡단한다.

햇빛이

구름 사이로 간신히 비치는 날에는

얼음 결정 하나하나에서

소중한 빛이 만들어져 나온다.

인사

지울 수 없는 그대의 흔적이

아직은

곳곳에 남아있기에

난 많은 생각들과 함께

밤을 지새웁니다.

떠나버린 그대의 빈자리를

아직

무엇으로도 채울 수 없기에

난 많은 추억들과 함께

밤을 지새웁니다.

나무

봄을 맞아

싹을 트며 녹음을 입는

나무 밑

추잡스레 떨어져 있는

지워지지 않은 쓸쓸한 겨울의 향기는

결국 그에게

성장할 수 있는 밑거름이 되어

나무를 굳건하게 서 있게 한다.

삶

지긋이 밟히는 어제들을 뒤로하고

나아가는 길

가슴을 스쳐오는
많은 기억들을 삼키고

땅 속이 답답한 듯
튀어나온 돌부리를 넘어

나아가는 길

멈출 수 없기에

나아가는 길